35

D1637536

Presented to
Awty International School
In Honor of

▬▬▬▬▬▬

Book Festival 2000

DU MÊME AUTEUR, DANS LA MÊME COLLECTION

La fille du comte Hugues

La première version de ce texte a paru dans la revue « J'aime lire »
en 1992 sous le titre « Un livre pour Rose-Marie ».

CONCEPTION GRAPHIQUE : L'BB

© Éditions Casterman, 1996.

Droits de traduction et de reproduction réservés pour tous pays. Toute repro
duction même partielle de cet ouvrage est interdite. Une copie ou reproduction
par quelque procédé que ce soit, photographie, microfilm, bande magnétique,
disque ou autre, constitue une contrefaçon passible des peines prévues par la
loi du 11 mars 1957 sur la protection des droits d'auteur.
ISBN 2-203-11742-7

Le catalogue de nos publications est disponible
chez votre libraire ou sur une simple demande.

casterman
36, rue du Chemin-Vert 75011 Paris
http://www.casterman.com

Imprimé en France par Partenaires-Livres. Dépôt légal : mars 1996 ; D. 1996/0053/93
Déposé au ministère de la Justice, Paris (loi n° 49.956 sur les publications destinées à la jeunesse).

HUMOUR

Évelyne Brisou-Pellen

Le grand amour du bibliothécaire

illustré par Véronique Deiss

ROMANS
casterman
HUIT & PLUS

FULBERT, le bibliothécaire, regarde sa montre. Il est l'heure de quitter la bibliothèque. Il sort dans la rue, juste comme les lampadaires s'allument. Il ferme la porte derrière lui, doucement pour ne pas l'abîmer, et donne deux tours de clé. Puis il s'éloigne sur le trottoir.

Mais à peine a-t-il fait dix pas qu'il revient. A-t-il bien fermé la porte ? Il vérifie, redonne un tour de clé, secoue un peu la porte pour voir si elle résiste bien. Il repart.

C'est à ce moment-là que l'institutrice passe, sur ses patins à roulettes. Elle lance :

— Dépêchez-vous, monsieur Fulbert, vous allez être en retard !

8

En retard ! Fulbert n'est JAMAIS en retard. Il n'empêche... du coup il n'ose plus aller vérifier une nouvelle fois s'il a bien fermé la porte. Il court jusqu'au garage à vélo, il détache un à un les trois cadenas qui protègent sa précieuse bicyclette et l'enfourche : vite à la mairie !

C'est qu'aujourd'hui, on est mercredi !

Il faut dire qu'au village de Tire-la-Chevillette, on a ses habitudes. Tous les mercredis, dans la grande salle de la mairie, monsieur le maire réunit son conseil municipal, et on parle de tout ce qui fait la vie du village.

Donc, ce mercredi-là, comme tous les autres mercredis, le maire attend patiemment que le bibliothécaire ait attaché sa bicyclette, ait bien refermé les trois cadenas, ait ôté ses pinces à vélo, et se soit assis au bout de la grande table. Puis il salue le conseil municipal : il y a là le curé, le facteur, l'institutrice, le cantonnier, et bien sûr le bibliothécaire.

Le maire distribue les verres, verse un jus de

fruits à chacun, orange ou ananas, et, enfin, il déclare :

— Bon. Comme vous le savez tous, c'est aujourd'hui que nous devons décider des subventions à accorder. Il faut donc que vous me disiez de quoi vous avez besoin.

Comme tous les mercredis, le cantonnier l'interrompt aussitôt :

— Qu'est-ce que c'est que ça, « les subventions » ?

Le maire pousse un soupir et explique :

— On va distribuer les sous.

— J'aime mieux ça, reprend le cantonnier. Moi, il me faut des sous pour acheter un mouton.

Il n'en faut pas plus pour que le maire s'énerve — le cantonnier a toujours eu le don de l'énerver. Il s'écrie en agitant un doigt sévère :

— Ah non ! si tu veux un mouton, ce n'est tout de même pas à la mairie de te le payer !

— Ah si ! Ah si ! proteste le cantonnier. Il s'agit d'un mouton MUNICIPAL, pour brouter l'herbe du nouveau terrain de foot.

— Un mouton municipal ?

— Oui, un mouton municipal, pour remplacer ma vieille tondeuse à main.

— Mais ta tondeuse est neuve.

— Elle est neuve, si on veut...

— Elle a à peine... commence le maire en comptant sur ses doigts... trente-cinq ans !

— Pour un homme c'est encore jeune... intervient l'institutrice, mais pour une tondeuse...

— Elle ne tond plus qu'une herbe sur cinq, s'exclame le cantonnier, et sur un terrain de foot, ça fait désordre ! Et puis un mouton, ce n'est pas plus cher qu'une tondeuse, ça ne consomme pas d'électricité, et ça ne fait pas de bruit.

Le maire se gratte le menton, en songeant qu'il n'y a de toute façon pas l'électricité sur le terrain de foot.

— C'est bon, dit-il. Puisqu'il faut bien couper l'herbe... C'est accordé.

Il se tourne vers le curé :

— Et pour toi, Alfred ?

(Le maire appelle toujours le curé par son prénom, vu qu'ils se connaissent depuis la maternelle, où ils n'avaient toujours qu'un chewing-gum pour deux et le mâchaient à tour de rôle.)

— Moi, dit le curé, il me faut des boules Quiès pour mon chien.

— Pour ton chien ?

— Oui : il hurle à la mort quand il entend l'orgue.

— Le chien n'a pas besoin d'être dans l'église pendant que l'orgue joue, fait remarquer sagement l'institutrice.

— Ah... bien sûr que si : c'est lui qui fait la quête !

— Alors, monsieur le curé, trouvez quelqu'un d'autre pour faire la quête ! propose le cantonnier.

— Impossible. Personne d'autre n'oserait grogner quand les gens ne mettent pas assez d'argent dans la corbeille.

Le maire se frotte le lobe de l'oreille d'un air pensif. Il songe que si les gens ne donnent pas assez de sous à la quête pour faire réparer le toit de l'église, ce sera à la mairie de payer.

— C'est bon, dit-il. Accordé.

— Moi, intervient alors le facteur, je veux des pigeons voyageurs. C'est à cause de l'état des routes entre Tire-la-Chevillette et La Bobinette-Cherra. Quand il pleut, la côte de La Bobinette devient un vrai bourbier dégoûtant. Impossible de passer, ou alors au péril de ma vie.

— Au péril de ta vie ! s'exclame le maire. Tu n'exagères pas un peu, Edmond ?

— AU PÉRIL DE MA VIE. Il me faut des pigeons : je leur confierai le courrier pour La Bobinette-Cherra.

Le maire hésite un peu. Il n'est pas trop sûr que ce soit bien raisonnable, mais si le facteur se cassait une jambe, ça coûterait encore plus cher et, en plus, il faudrait lui trouver un remplaçant.

— C'est bon, dit-il. Accordé.

La maire se tourne alors vers le bibliothécaire, qui ne semble pas vouloir ouvrir la bouche, et comme tous les mercredis, il demande :

— Et vous, monsieur le bibliothécaire, que vous faut-il ?

— Ma foi... rien.

Le maire lève les bras au ciel :

— Toujours rien ? Pourtant, les bibliothèques ont besoin d'argent, c'est le ministre qui l'a dit.

Le bibliothécaire hausse les épaules et ne trouve pas un mot à répondre. Alors le maire reprend :

— Le ministre a dit qu'il faut de l'argent pour les bibliothèques, et moi, je ne veux pas d'histoires. Je vous donne donc ceci.

Et il lui tend un billet.

À ce moment, l'institutrice prend son ton le plus patient — comme quand elle explique le calcul aux petits du CP —, et elle propose :

— Monsieur le bibliothécaire, pourquoi n'achèteriez-vous pas un livre pour la bibliothèque ?

16

Le bibliothécaire ramasse d'un air las le billet sur la table, pousse un soupir, et dit:
— On en a déjà un.

2

Le bibliothécaire s'essuie les pieds sur le paillasson, puis ouvre la porte de la bibliothèque, avec délicatesse, pour ne pas risquer de fausser la clé.

Il sort le billet de sa poche, le déplie soigneusement, et le range par-dessus les autres, sur l'étagère. Puis il contemple avec satisfaction les rayonnages vides : tout est parfait.

Acheter des livres ? Quelle sottise ! Les livres, ça fait désordre et ça prend la poussière, c'est tout.

Un gros chiffon à la main, il monte sur son escabeau. Il commence toujours par essuyer l'étagère du haut, et comme tous les jeudis, en faisant ce geste simple et efficace, il songe que

19

c'est tellement plus facile d'essuyer la poussière sur des étagères où il n'y a rien.

Il descend de son escabeau et frotte les marches une à une pour enlever la trace de ses semelles. Puis il le déplace vers les autres rayonnages et reprend son travail.

Quelle belle bibliothèque ! songe-t-il avec émotion. C'est sûr : il possède la plus propre et la plus nette de tout le pays.

Il en est là de ses réflexions quand, soudain, la porte s'ouvre.

Stupéfait, il s'arrête d'essuyer et manque de perdre l'équilibre : un visiteur dans sa bibliothèque, ça n'arrive jamais ! En plus... c'est une ravissante jeune fille.

Le cœur du bibliothécaire se met à battre. Il rougit, il pâlit. Il voit bien qu'il se trouve plus haut qu'elle et il voudrait bien être au même niveau, mais voilà qu'il se sent incapable de descendre de l'escabeau sans s'embrouiller les pieds.

— Bonjour, dit la jeune fille d'une voix gaie, je vais passer toutes mes vacances à Tire-la-

21

Chevillette, et j'aimerais bien m'inscrire à la bibliothèque.

— Vous inscrire ? bredouille le bibliothécaire. Mais... je ne sais pas... Ici personne ne s'inscrit jamais...

La jeune fille est étonnée :

— On peut emprunter des livres sans s'inscrire ?

— Euh... bien... euh non. On ne peut pas emprunter de livres.

Comme la jeune fille ouvre des yeux ronds, le bibliothécaire trouve enfin le courage de descendre prudemment de ses hauteurs, et lui fait son plus beau sourire. Il lève le doigt et précise d'un ton de confidence :

— Mais on peut lire sur place !

— Ah bon ! dit la jeune fille.

Le bibliothécaire voit bien que la jeune fille est tout de même déçue, et qu'elle est prête à s'en aller. Son cœur se met à battre de plus en plus vite. Alors il décide d'un coup :

— Je vais vous inscrire. Comment vous appelez-vous ?

— Rose-Marie.

— Moi, c'est Fulbert, dit le bibliothécaire sans rien inscrire du tout, et sans quitter des yeux sa visiteuse.

Puis il ajoute :

— Le livre est là, sur la table. Vous pouvez le lire.

Et en montrant le livre, il ajoute :

— Faites attention : il est attaché au mur par une grosse chaîne. Vous comprenez, comme ça on ne me le volera pas.

— Je vois... dit la jeune fille surprise. C'est comme les prisonniers dans les cachots, vous ne voulez pas que vos livres s'évadent...

Fulbert ne sait pas comment prendre cette réflexion, mais ça ne lui plaît qu'à moitié, qu'on compare sa bibliothèque à une prison. Il explique :

— Ce n'est pas cela, mais vous comprenez, si on me le volait, il faudrait que j'en rachète un, et ce serait compliqué.

— Ce serait compliqué... répète la jeune fille d'un air stupéfait.

Puis elle tourne vite le dos pour cacher le fou rire qui est en train de la prendre et va s'asseoir devant le livre.

Rose-Marie reste là tout l'après-midi, à tourner les pages pensivement, et Fulbert le bibliothécaire reste là tout l'après-midi, à la contempler sans se lasser.

Enfin elle ferme le livre et se lève :

— C'était très intéressant. Je viens d'apprendre des tas de choses.

— Ah bon ?

Le bibliothécaire est un peu étonné :

— On apprend des choses, dans ce livre ? Quoi, par exemple... ?

— Par exemple : que les rhododendrons ne se plaisent pas sous les lilas, et qu'il ne faut jamais planter les choux près des fraisiers, ni les haricots près des oignons.

— Ah ! s'exclame le bibliothécaire. C'était mis dans le livre ?

— Mais bien sûr !

— On parle des plantes, dans ce livre ?

— Ça me semble normal, puisque c'est un livre de jardinage. Vous ne le saviez pas ?

— Si si... Bien sûr... répond très vite le bibliothécaire, en regrettant pour la première fois de sa vie de n'avoir jamais ouvert le seul livre de sa bibliothèque... C'est que... je lis telle-ment que, vous comprenez, je ne peux pas tout me rappeler.

— C'est normal, dit Rose-Marie. Bon... eh bien... c'est dommage que vous n'ayez pas d'autres livres.
Au revoir.

— ... au revoir... bégaye le bibliothécaire.

D'un air consterné, il regarde Rose-Marie sortir de la bibliothèque. C'est fini. Elle ne reviendra plus.

Il sent les larmes lui monter aux yeux, et les essuie dans le coin du chiffon à poussière.

PENDANT CE TEMPS-LÀ, dans l'unique bistrot de La Bobinette-Cherra, trois affreux bandits jouent aux cartes. Il y a un petit gros, un grand maigre et un grand gros. Ils jouent aux cartes pour oublier qu'ils sont affamés, mais le cœur n'y est pas. C'est à peine s'ils entendent les annonces, tant leur estomac fait de bruit.

Dehors, le ciel commence à se couvrir, et le temps est très triste. Cela achève de les démoraliser.

Pourtant, la vie aurait pu être belle pour eux : ils venaient juste d'apprendre que le chien du curé avait reçu des boules Quiès, et ils avaient voulu en profiter pour aller voler la tondeuse à main du cantonnier sans être entendus par ce fouineur de chien de curé. Hélas ! la tondeuse avait traîtreusement été emportée par le camion des éboueurs, et à la place, ils avaient trouvé un mouton, qui avait obstinément refusé de les suivre, pour ne pas quitter une aussi bonne pâture.

Égoïste ! Ils auraient bien mangé du mouton, eux !

Finalement, le grand maigre jette ses cartes sur la table, et gémit d'un ton mourant :

— Je n'en peux plus, j'ai trop faim. Ça fait tellement longtemps que je n'ai pas mangé, que j'ai l'impression d'avoir des toiles d'araignée sur les dents...

— Moi, dit le petit gros, j'ai les boyaux qui rouillent.

Le grand maigre fouille une nouvelle fois dans ses poches, les retourne pour être bien sûr qu'il n'y reste rien, et soupire :

— Et dire qu'on n'a même plus de quoi s'acheter un sandwich au lait concentré et à la tomate verte !

— De toute façon, réplique le grand gros en contemplant avec tristesse son verre vide, un sandwich au lait concentré et à la tomate verte, ce n'est bon qu'arrosé de sucre de soja au miel, et ça, on a encore moins les moyens de s'en acheter.

En entendant ces mots, le petit gros ne peut pas s'empêcher de se passer la langue sur les lèvres, et voilà que ça le met soudain en fureur.

Il crie d'un coup :

— Y'en a marre ! On n'a qu'à attaquer une fabrique de sandwichs.

— Ou alors, une fabrique de sucre de soja au miel.

— Ou alors, on se cache derrière un talus, et on vole leurs sandwichs aux gosses qui vont à l'école.

— Et si on n'aime pas ce qu'ils ont dans leurs sandwichs ? fait observer le grand maigre.

Cette judicieuse remarque plonge les trois bandits dans une profonde réflexion.

C'est alors que le facteur entre.

Vous allez voir comme les plus grands problèmes naissent de toutes petites choses : si le facteur entre à ce moment, c'est qu'il n'a pas encore réussi à obtenir ses pigeons voyageurs, et qu'il a donc dû faire la route lui-même.

Le ciel est témoin que s'il avait eu ses pigeons, rien ne serait arrivé !

Donc, le facteur entre.

Fatigué d'avoir dû monter encore une fois la côte entre Tire-la-Chevillette et La Bobinette-Cherra, il fait juste un geste de la main pour dire bonjour, puis se laisse tomber sur une chaise et souffle au patron du bistrot :

— Donne-moi un citron pressé, je suis pressé.

— Voilà voilà, dit le patron. Un bon citron, c'est plein de vitamines, ça te redonnera des forces pour le retour.

— Le retour, ça va, dit le facteur. Ce qu'il y a de consolant dans les côtes, c'est que quand tu les prends dans l'autre sens, ça devient des descentes.

Les trois bandits écoutent d'une oreille intéressée : comme ils ont toujours été très mauvais en orthographe à l'école ils sont en train de réfléchir à la bonne façon d'écrire « côte », puisque, apparemment, quand on le lit à l'envers, ça fait « descente ».

Mais le facteur est beaucoup trop lettré pour eux. Ils abandonnent leurs recherches, et ils écoutent la suite de la conversation... Et ils ont bien raison.

Tout en servant son citron pressé au facteur, le patron du bar demande :

— Mais au fait, tu n'as pas encore tes pigeons voyageurs ?

— Je ne les ai pas encore commandés. Je ne sais pas où les mettre. À ton avis, il leur faut une cage ou un pigeonnier ?

Le patron gonfle ses joues, et fait un petit bruit avec sa bouche, ce qui signifie qu'il n'en sait rien. Enfin il ajoute :

— Regarde dans un livre.

— Je n'en ai pas.

— Va en emprunter un à la bibliothèque.

— À la bibliothèque ? Non, il n'y a qu'un livre de jardinage.

— Seulement un livre de jardinage ?

— Oui. Le bibliothécaire n'achète jamais de livres.

— Qu'est-ce qu'il fait de l'argent, alors ?

— Il le range sur une étagère. Il dit que c'est moins encombrant et plus facile à déplacer que des livres.

Les trois bandits se regardent, puis ils se mettent à siffloter pour n'avoir l'air de rien.

4

Le ciel s'étant chargé de nuages toute la journée, voilà que ce soir-là, il se met à pleuvoir.

Il pleut très fort, très longtemps, si fort et si longtemps que la route entre Tire-la-Chevillette et La Bobinette-Cherra est coupée. Heureusement que le facteur a eu le temps de revenir !

Les trois bandits, eux, seraient bien partis tout de suite pour Tire-la-Chevillette, mais les voilà coincés par la pluie dans l'unique bistrot de La Bobinette-Cherra. Ils ne peuvent que contempler le ciel avec désespoir : si au moins il pleuvait des pastilles aux fruits de la passion, ou aux noix de cajou !

Le lendemain matin, Fulbert le bibliothécaire se réveille brutalement et s'assied d'un bond sur son lit. Une idée géniale vient de lui traverser l'esprit : s'il veut revoir la jolie Rose-Marie, il faut qu'il achète un autre livre !

Il s'habille rapidement et, n'importe comment, court à la bibliothèque, prend un billet sur l'étagère et saute sur son vélo, non sans avoir copieusement rouspété contre les clés et les antivols qui lui font bêtement perdre du temps : franchement, a-t-on besoin de cadenas dans un village où il ne se passe jamais rien, et où tout le monde a déjà un vélo ?

Enfin, malgré la pluie qui tombe toujours, le voilà qui dévale la rue principale et pédale de toutes ses forces vers la grande ville. Heureusement, de ce côté-là, la route est bien goudronnée, et pas embourbée du tout.

Il arrive à la ville une heure plus tard, ruisselant de pluie et tout en sueur, aussi trempé à l'intérieur qu'à l'extérieur. Il abandonne son vélo sur le trottoir sans même penser à l'attacher, et s'engouffre dans la librairie.

Mais là, il y a tellement de livres qu'il manque de s'évanouir. Et quand en plus le libraire lui dit que dans chacun de ses livres, il y a des choses différentes, il se sent tout perdu. Comment choisir ?

Le voyant si embarrassé, le libraire essaie de lui venir en aide.

— Voyons, demande-t-il, quel genre de livre aimez-vous lire ?

— Ben... euh...

— Vous cherchez plutôt un roman ? Un documentaire ?

— Euh... oui, peut-être...

— Voyons, reprend le libraire avec patience, qu'est-ce que vous aimez le plus ?

Fulbert le bibliothécaire répondrait bien que c'est Rose-Marie, qu'il aime le plus, mais il n'ose pas. Alors, il dit :

— L'île flottante à la praline et au caramel.

— Ah ! s'exclame le libraire. C'est un livre de cuisine, que vous voulez !

Fulbert a un grand sourire :

— Oui, c'est ça.

Il se fait faire un paquet cadeau : après tout, c'est un grand jour ! Il glisse le livre sous sa veste, contre sa poitrine, pour qu'il soit bien à l'abri du vent et de la pluie, il remonte sur son vélo, et pédale comme un fou.

Il arrive, essoufflé, à Tire-la-Chevillette, et que voit-il ? Justement, la plus merveilleuse des plus belles jeunes filles, qui traverse la rue, abritée sous son parapluie rouge.

Il est tellement heureux et ému qu'il saute de son vélo sans même l'arrêter. Le vélo finit sa course contre la porte du garagiste, et Fulbert contre les jambes de Rose-Marie. Il bafouille :

— Euh... excusez-moi, mademoiselle Rose-Marie, mais j'ai un nouveau livre.

39

Et sans attendre sa réponse, ni lui demander son avis, il la pousse vers la bibliothèque et l'installe devant le livre neuf.

Pendant qu'elle lit, il la dévore des yeux, un long moment. Puis, timidement, il va s'asseoir à côté d'elle et ouvre le livre de jardinage.

Pour le soir, il sait que les radis se plaisent avec les salades, les fraisiers avec les oignons, et lui avec Rose-Marie. En plus, il vient de décider fermement de planter des pois de senteur sous les fenêtres de la bibliothèque. Sûrement que Rose-Marie aimera ça.

5.

Mais tout a une fin. Dans les livres de cuisine, on ne peut pas lire toutes les recettes, ou alors on attrape une indigestion.

Voilà donc Fulbert en train de pédaler de nouveau, sous les trombes d'eau, pour aller acheter un nouveau livre à la ville.

Cette fois, il entre dans la librairie avec l'assurance de celui qui sait ce qu'il veut, et lance :

— Donnez-moi un gros livre, écrit tout petit, mais intéressant quand même.

C'est vrai, ça ! Il ne faudrait pas que Rose-Marie s'ennuie, sinon elle partirait.

On lui donne un roman, avec un titre qu'il ne connaît pas, écrit par un auteur qu'il ne connaît pas et dont il se fiche complètement.

41

Ce qu'il connaît, c'est la personne qui va le lire et ça, il ne s'en fiche pas du tout.

Les jours passent et la pluie continue de tomber sur Tire-la-Chevillette, mais chaque matin, Fulbert pédale sous la pluie, si bien que sur les rayonnages, il y a maintenant plusieurs livres.

Fulbert ne les a pas attachés au mur : il n'y a même pas pensé. Il n'a pas pensé non plus à s'occuper de la poussière, mais finalement elle ne s'accumule pas tant que ça, ou alors il ne la voit plus...

Et puis il a autre chose à faire : l'après-midi, il préfère s'asseoir auprès de Rose-Marie, et lire le livre qu'elle a fini la veille. Après, il en parle avec elle. Ils discutent de ce qu'elle en a pensé, de ce que lui en a pensé, et tout et tout.

Pendant ce temps-là, alors qu'il fait bon et chaud dans la bibliothèque, les trois bandits contemplent avec désespoir la pluie qui tombe, qui tombe, qui tombe... Des jours et des jours que ça dure ! Et impossible de sortir, ils n'ont pas de parapluie !

— Allons en voler un ! propose tout à coup le grand gros.

— En voler un ? Ce serait une bonne idée, répond le grand maigre, mais réfléchis un peu...

— Pour en voler un, reprend le petit gros, il faudrait sortir, et pour sortir, il faut un parapluie...

Ils poussent en même temps trois soupirs : un grand gros, un petit gros et un grand maigre. Et groupés devant la fenêtre, les mains dans le dos, ils continuent de contempler avec désespoir la pluie qui tombe, qui tombe, qui tombe...

Quinze jours plus tard, la pluie s'arrête enfin. L'eau se retire lentement de la route entre Tire-la-Chevillette et La Bobinette-Cherra, et la boue sèche peu à peu.

Fulbert est en train de regarder des images avec Rose-Marie, lorsque la porte s'ouvre à toute volée.

— Haut les mains, crie l'affreux petit gros bandit.

Il a entendu cette phrase-là au cinéma et il sait que, quand on la crie bien fort, les gens lèvent les mains en l'air. Il n'a pas trop compris à quoi ça sert, mais dans un hold-up, c'est toujours comme ça. L'affreux grand maigre bandit passe devant et lance :

— Où est l'argent ?

Comme Fulbert, éberlué, ne répond rien, l'affreux grand gros bandit grogne :

— Où est la pile de billets ?

Le bibliothécaire se lève alors et demande poliment :

— Vous désirez ?

— Donne immédiatement tous tes billets ! s'écrient ensemble le grand gros, le grand maigre et le petit gros.

— Des billets, il n'y en a plus, dit Fulbert en les fixant tour à tour dans les yeux.

Si cette aventure était arrivée quinze jours avant, le bibliothécaire serait sûrement tombé dans les pommes, mais depuis que Rose-Marie est là, bien des choses ont changé.

— Il n'y en a plus un seul, répète-t-il en se mettant devant la jeune fille pour la protéger.

— Où les as-tu cachés ?

— Je ne les ai pas cachés, je les ai dépensés. J'ai acheté des livres.

Les trois bandits se regardent et puis ils serrent les poings :

c'est bien leur chance, voilà que le bibliothécaire est devenu fou !

Ils ne savent plus que faire.

Alors, le grand gros bandit a une idée. Il dit :

— Puisque c'est comme ça, on vole tous les
livres et on les revendra. Comme ça, on aura
de l'argent.

Voler ses livres ?... Là, le bibliothécaire se re-
dresse de toute sa hauteur, foudroie du regard
les trois bandits puis, comme ça n'a pas l'air
de les effrayer, il saisit sur l'étagère les trois
tomes de *Comment devenir honnête en
trois jours* et les leur jette à la figure.

Affolés, les bandits s'enfuient.

47

— Oh ! s'exclame Rose-Marie, vous avez été formidable, monsieur Fulbert. Quel courage ! Le bibliothécaire rougit, pâlit en se disant qu'il aurait bien dû acheter le livre *Comment faire une déclaration d'amour,* puis finalement il prend Rose-Marie dans ses bras et lui pose un baiser sur la joue. Tout bien considéré, les livres, ce n'est pas tellement indispensable...

6

ON SE SAIT PAS si les bandits rede-
vinrent honnêtes en trois jours, ou bien en
neuf (puisqu'ils étaient trois), mais on sait que
Fulbert épousa Rose-Marie.

Heureusement, le curé avait eu ses boules
Quiès et son chien put faire la quête à la
messe de mariage.

Par chance, le facteur avait trouvé un livre sur
les pigeons voyageurs, et il avait envoyé les
oiseaux avec un message pour inviter les gens
de La Bobinette-Cherra.

Une veine ! le mouton du cantonnier avait eu
le temps de brouter tout le stade de foot, et on
put facilement y installer les tables pour le
repas de noces.

Maintenant, tout le village est inscrit à la bibliothèque de Tire-la-Chevillette. On peut même y emprunter des livres...

Si si ! C'est parce que Fulbert n'aime pas que les gens restent longtemps dans la bibliothèque : ça l'empêche de lire, et ça l'empêche de parler avec Rose-Marie.

ÉVELYNE BRISOU-PELLEN a publié son premier texte dans un magazine pour enfants. C'était en 1980. Quinze ans plus tard, sa bibliographie compte plus d'une trentaine d'ouvrages qui, peu à peu, ont assuré sa grande renommée (*Prisonnière des Mongols, Le Vrai Prince Thibault,* Rageot; *Le Défi des druides,* Gallimard). Paru en 1992 dans une première version sous le titre *Un livre pour Rose-Marie* (« J'aime lire » n°193), *Le Grand Amour du bibliothécaire* est aujourd'hui, après *La Fille du comte Hugues,* le second texte d'Évelyne Brisou-Pellen publié par la collection « Romans Casterman ». Née en Bretagne, Évelyne Brisou-Pellen vit actuellement à Rennes.

VÉRONIQUE DEISS est une jeune illustratrice strasbourgeoise. Ses petits dessins sans façon ont illustré *Gargantua et Pantagruel* (coll. « Épopée », Casterman) ainsi que les aventures des petits sorciers de Paul Thiès (coll. « Romans », Casterman). Véronique Deiss travaille souvent pour la revue *Astrapi* ainsi que pour la collection « Folio Junior » (Gallimard). Elle a en outre illustré un drôle d'album intitulé *Histoires d'amour* (Syros, 1994).

TABLE
DES CHAPITRES

Lower
FRENCH
FR
BRI
41657

Brisou-Pellen, Evelyne,
Le grand amour du
bibliothécaire /

Date Due

APR 0 5 2016			

BRODART, CO.   Cat. No. 23-233-003   Printed in U.S.A.